ACTES SUD JUNIOR
est dirigé par Madeleine Thoby-Le Duc

	Dans le livre		Sur le disque	
			1	*instrumental*
	p. 5		2	
	p. 6		3	
	p. 9		4	
	p. 10		5	
			6	*instrumental*
	p. 13		7	
	p. 14		8	
			9	*instrumental*
	p. 17		10	
	p. 18		11	
	p. 21		12	
	p. 22		13	
			14	*instrumental*
	p. 25		15	
	p. 26		16	
	p. 29		17	
	p. 30		18	
	p. 33		19	
	p. 34		20	
	p. 37		21	
			22	*instrumental*

Cette histoire, tu peux venir l'entendre au musée de la Musique, à Paris.
Tu y découvriras une des plus belles collections d'instruments de musique.
Plus de 900 instruments du monde entier y sont exposés et, presque tous les jours, des visites,
des concerts et des ateliers sont spécialement conçus pour les enfants et leurs parents.

La collection **les contes du musée de la musique** a été mise au point avec le concours
de Marion Challier (conseillère éditoriale), de Joël Dugot (conseiller scientifique)
et de Christophe Rosenberg (direction artistique du CD).

Musée de la musique – Cité de la musique – 221, avenue Jean-Jaurès – 75019 Paris
Tél. : 01 44 84 44 84 – Site : www.cite-musique.fr

Jounaïd et l'oiseau de paradis

Un conte du Maroc
pour découvrir le son de l'oud

© Actes Sud / cité de la Musique, 2003
ISBN 2-7427-4350-2

Jounaïd et l'oiseau de paradis

Hamed Bouzzine

Illustrations de Frédéric Rébéna

ACTES SUD JUNIOR / CITÉ DE LA MUSIQUE

*Cette histoire se passe
il y a longtemps, très longtemps.
On raconte qu'en ce temps-là,
vivait dans la sublime ville de Fès
un poète-musicien du nom de Jounaïd.
Il avait hérité d'une somptueuse demeure
entourée d'un magnifique ryad.
Ce jardin était un lieu de délices
où poussaient la rose et le jasmin.*

Jounaïd était un homme simple, d'une rare beauté
et d'une générosité exemplaire. Quand quelqu'un
le sollicitait pour un récital, peu lui importait
que la personne fût riche ou démunie : la porte de son
jardin était ouverte à tous les amoureux du merveilleux,
de la musique et de la poésie.

Tous ceux qui avaient entendu les sublimes mélodies
de son oud, le luth que son maître de musique lui avait
laissé en héritage, en gardaient un souvenir inoubliable.
Sa renommée avait fini par atteindre la cour du sultan.

6

On raconte que ce sultan n'avait qu'une fille,
la princesse Othba, et qu'il y tenait comme
à la prunelle de ses yeux.
Il rêvait de faire d'elle une sultane d'exception,
puissante et admirée.
Aussi lui avait-il ordonné d'apprendre toutes
les sciences qui servent à gouverner.
Mais Othba ne se voyait point en sultane ;
elle se rêvait en poétesse-musicienne.
Alors, elle invitait dans son salon de musique
tous les musiciens et poètes renommés
qui passaient dans la ville.

9

Jounaïd, lui, n'avait que faire de ces poètes et musiciens de cour. Un jour, hélas, il lui arriva cette terrible mésaventure : dans sa maison et son jardin ouverts à tous vents, il accueillit trois brigands qui se présentèrent comme des marchands égarés dans cette immense ville.

Jounaïd leur offrit l'hospitalité et les reçut comme des princes pendant trois jours et trois nuits, selon la tradition.

Une fois qu'ils furent partis, Jounaïd s'aperçut
que son luth avait été volé.

Désemparé, il erra plusieurs jours dans les rues de Fès,
demandant à qui voulait l'entendre s'il n'avait pas
croisé sur son chemin trois hommes portant un oud
en marqueterie de Damas.

Les gens compatissaient à son malheur et,
plus le temps passait, plus Jounaïd désespérait
de le retrouver un jour.

13

Petit à petit, il perdit l'appétit et maigrit à vue d'œil,
sans plus sortir de son jardin.
La porte de son ryad était désormais fermée.
Ses amis, inquiets, avaient beau l'appeler,
il ne répondait pas.

Un jour que la princesse Othba était allée se cacher
dans le jardin pour échapper à ses ennuyeuses leçons,
elle entendit le chant plaintif d'un oiseau.

Elle en ressentit une si grande tristesse que son cœur
en fut chaviré.

Elle lui donna quelques grains de grenade à manger
et ce fut le début d'une grande amitié.

L'oiseau s'apprivoisa et devint peu à peu l'objet
de toutes ses attentions.

17

Parfois, Othba semblait comprendre le langage
de l'oiseau. Entre les notes, elle entendait :
« Pour Othba, mes larmes coulent, coulent sans arrêt.
Sa beauté est une perle rare que la mer a déposée
sur le rivage. Et lorsqu'elle parle, ses mots sont autant
de fleurs qui s'épanouissent et me charment. »
Un jour, pressée par son père de choisir un mari,
la princesse décréta qu'elle épouserait celui qui
saurait jouer des mélodies aussi belles que le chant
de son oiseau.

18

Le sultan se mit en colère mais l'oiseau entonna
un chant empreint d'une telle majesté qu'il se ravisa :
celui qui serait capable de relever ce défi serait digne
de gouverner.

Alors il envoya des messagers dans tout le royaume
pour annoncer la nouvelle. Tous ceux qui savaient
souffler dans un nay, jouer du qanun, frotter les cordes
d'un rabab, celles d'un violon ou pincer celles
d'un oud se mirent en marche.

Suivirent aussi chanteurs à la voix fluette et poètes
qui se croyaient inspirés.

Tous espéraient séduire la princesse.

21

C'est alors que, sur le chemin de Marrakech, nos trois
brigands rencontrèrent Khalil, un musicien qui allait
à la cour du sultan de Fès dans l'espoir d'épouser
la princesse. Les trois brigands lui vantèrent l'oud
qu'ils avaient volé à Jounaïd.

À sa vue, Khalil, époustouflé, se dit prêt à offrir
un trésor pour le posséder. Et il le paya d'une bourse
de dix pièces d'or ainsi que d'un superbe rubis.
Avec cet instrument si finement décoré de nacre,
de bois de citronnier, d'ébène et de bois de rose,
Khalil se sentait capable d'enchanter les oreilles
les plus raffinées.

22

Quand il arriva devant le palais, il se heurta à une foule
d'artistes, chacun impatient de prouver qu'il était
le meilleur musicien ou poète du royaume.
Chacun dut attendre son tour en gardant l'espoir
d'être l'élu de la princesse.
Khalil, lui, caressait de ses doigts les cordes
de son oud et tentait d'improviser à voix basse
un chant d'amour pour Othba.

25

Devant tant d'éloquence et de raffinement, beaucoup
renoncèrent à se présenter.

Certains lui cédèrent leur place, espérant que si Khalil
était choisi, il n'aurait pas la mémoire courte et saurait
leur témoigner sa gratitude.

Quand son tour arriva, il pénétra dans le salon
de musique et s'installa sur un coussin de soie pour
accorder son oud avec l'orchestre royal.

Lorsque la princesse Othba et son oiseau de paradis
posé sur son épaule apparurent, Khalil, ému par tant
de beauté, se mit à trembler.

La princesse lui ordonna de reprendre ses esprits
et de lui dévoiler ses talents.

Khalil avait la certitude qu'il allait devenir prince
et que les muses l'inspireraient comme jamais elles
ne l'avaient fait.

Dès qu'il se mit à jouer, l'oiseau vint sur son épaule.

Tout le monde trouva cela extraordinaire.

Mais soudain, l'oiseau s'affaissa sur le tapis de soie.

Il y eut un grand silence, suivi de grands cris.

Les serviteurs s'empressèrent de déposer le corps inerte
de l'oiseau sur une petite table ; certains l'éventaient,
d'autres coururent aux fontaines chercher un peu d'eau
avec l'espoir de le ranimer. Rien n'y faisait.

Ils n'arrivaient pas à lui redonner le moindre souffle
de vie.

29

En larmes, la princesse désigna un coupable et menaça
Khalil :

– Puisque tu as tué mon fidèle compagnon,
tu termineras ta vie dans les geôles du palais !
Khalil était accablé de douleur. Il se demandait si son
instrument n'était pas doté de pouvoirs maléfiques.
Il supplia la princesse de le laisser interpréter la fin
de son morceau, espérant ainsi la séduire pour qu'elle
adoucisse sa peine.

Dès que Khalil se mit à jouer, le corps inerte de l'oiseau
se mit à bouger, doucement, tout doucement.

L'oiseau se transforma en jeune homme séduisant,
au sourire et au charme irrésistibles.

Miracle ! Jounaïd avait retrouvé son aspect humain.

Il menaça Khalil :

– Tu as volé mon oud ! Tu mérites la mort !

– Mais je ne suis pas un voleur ! protesta Khalil,
qui raconta alors comment il avait acheté cet oud
sur le chemin de Marrakech.

En échange de sa liberté, il promit à Jounaïd
de lui rendre son instrument.

Ce qui fut fait.

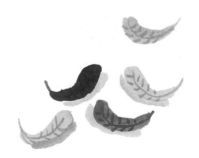

Jounaïd prit alors son oud et conta son histoire
à la cour. Ce fut une telle splendeur que le sultan
dut se rendre à l'évidence : Jounaïd épouserait sa fille,
la princesse Othba.

Et l'on fit une fête qui dura sept jours et sept nuits.
Tous les habitants du royaume y furent invités.
On réserva une place princière à Khalil qui, sans
le savoir, sans le vouloir, lui avait sauvé la vie.
En signe de gratitude, Jounaïd lui fit don de son ryad.

Chaque année,
pour fêter leur rencontre,
Jounaïd et Othba organisent une joute
poétique et musicale de grande renommée.
Le plus virtuose de tous les musiciens
repart avec une bourse pleine d'or et un rubis.
Mais le grand privilège
est de jouer sur l'oud de Jounaïd ;
même la lune se penche et tend l'oreille
pour l'écouter.

L'oud

Dans la musique orientale, l'oud est le sultan des instruments. Élégant, raffiné, il accompagne la poésie et les chansons d'amour. Les musiciens ont l'habitude d'improviser de longs préludes qui engendrent rêverie et fascination. Au fil des siècles, sous les doigts virtuoses de grands interprètes, il a su exprimer, avec sensibilité, les sentiments humains.

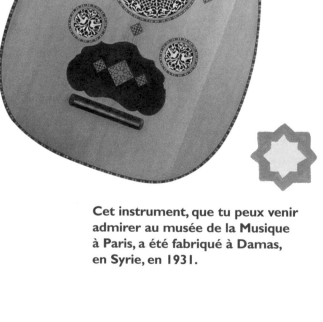

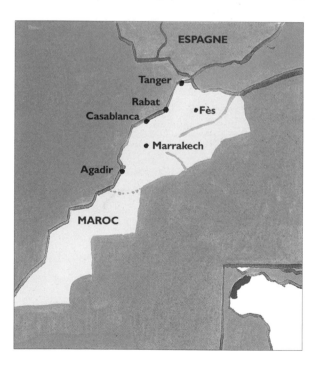

Cet instrument, que tu peux venir admirer au musée de la Musique à Paris, a été fabriqué à Damas, en Syrie, en 1931.

L'oud se compose d'une volumineuse caisse de bois, généreusement bombée, en forme de poire, et d'un petit manche avec un chevillier cambré vers l'arrière.

La caisse est taillée dans du bois de noyer, d'érable et de cèdre en fines lamelles que l'on nomme les côtes ; les rosaces sont finement ciselées dans une feuille d'ivoire ; les chevilles contrastent avec leur noir d'ébène. L'instrument, grâce à la finesse de la construction, est très léger. Le mariage des diverses teintes des bois souligne les formes parfaites d'un instrument aux grandes qualités musicales.

Sur sa table d'harmonie de bois blond, deux ou trois ouvertures appelées *uyûn* (« les yeux ») sont masquées par des rosaces. Au travers de cette dentelle d'ivoire, s'envolent les notes délicates.

L'oud existait déjà au temps des Perses de l'Antiquité mais, à l'époque, il était d'une facture plus simple et ne possédait que quatre cordes, voire moins.
Il en compte douze aujourd'hui, réparties en six paires.
Ce sont ces cordes doublées qui donnent à l'oud son timbre particulier.

Le musicien joue en pinçant les cordes avec un petit plectre en corne ou fabriqué dans une plume d'aigle.

Les Maures, lorsqu'ils ont occupé l'Espagne au VIIe siècle, ont ainsi introduit l'oud en Europe.
La contraction de *al-oud* (qui signifie « le bois ») a donné « luth », le nom de cet instrument en Occident. Au Moyen Âge, il accompagne les chants d'amour courtois. À la Renaissance, il donne le goût de l'intimité et de la méditation.

Dans le monde, il existe toutes sortes de luths, de la même famille que l'oud, mais avec des caisses moins ventrues et des manches plus longs, comme les tanburs ou le sitar indien.

40

Avec ses sonorités – veloutées dans les graves, plus métalliques et brillantes dans les aigus –, l'oud a des pouvoirs expressifs qui parviennent à envoûter des auditoires entiers, perdus dans leurs rêveries. Mélancolique comme l'amoureux abandonné ou volubile comme le rossignol auquel on le compare parfois, l'oud peut aussi prendre sa place dans les orchestres de jazz ou de musique techno.

Un dossier de Béatrice Fontanel

41

Conception graphique de la collection :
Isabelle Gibert

Direction artistique et maquette :
Guillaume Berga

Reproduit et achevé d'imprimer en septembre 2003
par l'imprimerie Pollina à Luçon
pour le compte des éditions
ACTES SUD
Le Méjan
Place Nina-Berberova
13200 Arles

Dépôt légal
1re édition : octobre 2003
N° imprimeur : L91056
(Imprimé en France)